GOSCINNY UND UDERZO PRÄSENTIEREN EIN NEUES ABENTEUER VON ASTERIX

ASTERIX IN SPANIEN

Text von **RENE GOSCINNY**   Zeichnungen von **ALBERT UDER**

EGMONT EHAPA VERLAG GMBH · BERLIN

Hier kann man alle Abenteuer
von Asterix und Obelix direkt bestellen:

Egmont Ehapa Verlag
Leserservice
Postfach 81 06 20
D-70523 Stuttgart
Fon: 07 11/72 52-290
Fax: 07 11/72 52-392
E-Mail: leserservice@ehapa.de
http://www.asterix.de

Zahlung inklusive Porto und Versand bitte erst nach Erhalt der Rechnung.

Nachdruck 2003
EGMONT EHAPA VERLAG, D-10179 Berlin
Übersetzung aus dem Französischen: Gudrun Penndorf M.A.
Deutsche Textbearbeitung: Adolf Kabatek
Beratung in Lizenz- und Autorenfragen: Michael F. Walz
Redaktion: Horst Berner, Alexandra Germann, Sibylle Markus
Satz: Fotosatz Egmont Ehapa
Lettering: Yannick Fallek
Gestaltung: Uli Faas
Internationale Koordination: Simone Uhlich und Sibylle Markus
Buchherstellung: Simone Uhlich
Originaltitel: «Astérix en Hispanie»
© 1969 GOSCINNY-UDERZO
Copyright der ersten Veröffentlichung in deutscher Sprache:
© 1973 EHAPA VERLAG GMBH
Copyright dieser Ausgabe:
© 2003 EGMONT FOUNDATION/EGMONT EHAPA VERLAG GMBH
Druck und Verarbeitung: Mohn Media Mohndruck, 33311 Gütersloh

Gedruckt auf chlorfreiem Papier

**Wer mehr über Asterix und Obelix erfahren möchte –
hier werden alle Gallierfreunde fündig:
http://www.asterix.de**

GALLISCHES DORF

KLEINBONUM

LAUDANUM

AQUARIUM

BABAORUM

ARMORICAE

BELGAE

LUTETIA

SPQR

GALLIEN

UM 50 V. CHR. VON DEN RÖMERN BESETZT

CELTAE

AQUITANI

PROVINCIA
NARBONENSIS

Wir befinden uns im Jahre 50 v. Chr. Ganz Gallien ist von den Römern besetzt... ganz Gallien? Nein! Ein von unbeugsamen Galliern bevölkertes Dorf hört nicht auf, dem Eindringling Widerstand zu leisten. Und das Leben ist nicht leicht für die römischen Legionäre, die als Besatzung in den befestigten Lagern Babaorum, Aquarium, Laudanum und Kleinbonum liegen...

Einige Gallier

Asterix, der Held dieser Abenteuer. Ein listiger kleiner Krieger, voll sprühender Intelligenz, dem alle gefährlichen Aufträge bedenkenlos anvertraut werden. Asterix schöpft seine übermenschliche Kraft aus dem Zaubertrank des Druiden Miraculix...

Obelix ist der dickste Freund von Asterix. Seines Zeichens Lieferant für Hinkelsteine, großer Liebhaber von Wildschweinen und wilden Raufereien, ist er stets bereit, alles stehen und liegen zu lassen, um mit Asterix ein neues Abenteuer zu erleben. In seiner Begleitung befindet sich Idefix, der einzige als umweltfreundlich bekannte Hund, der vor Verzweiflung aufheult, wenn man einen Baum fällt.

Miraculix, der ehrwürdige Druide des Dorfes, schneidet Misteln und braut Zaubertränke. Sein größter Erfolg ist ein Trank, der übermenschliche Kräfte verleiht. Doch Miraculix hat noch andere Rezepte in Reserve...

Troubadix ist der Barde! Die Meinungen über sein Talent sind geteilt: Er selbst findet sich genial, alle anderen finden ihn unbeschreiblich. Doch wenn er schweigt, ist er ein fröhlicher Geselle und hochbeliebt...

Majestix schließlich ist der Häuptling des Stammes. Ein majestätischer, mutiger, argwöhnischer alter Krieger, von seinen Leuten respektiert, von seinen Feinden gefürchtet. Majestix fürchtet nur ein Ding: daß ihm der Himmel auf den Kopf fallen könnte! Doch wie er selbst sagt: „Es ist noch nicht aller Tage Abend."

Am Morgen des 17. März des Jahres 45 v. Chr. herrscht Frieden in dem kleinen, uns wohl bekannten gallischen Dorf. Bald jedoch soll diese Ruhe gestört werden durch Ereignisse, die sich in weiter Ferne abspielen, im südlichen Hispanien...

FRISCHE FISCHE ! FRISCH GEFISCHTE FISCHE !

FISCHE ! SCHÖNE FRISCHE FISCHE !

Ob wir zur Abwechslung mal Fisch kaufen?

Abwechslung? Ich hab heut doch erst zwei Wildschweine gegessen!

Ein Jahr nach seinem Sieg über die Pompejaner bei Thapsus hat Cäsar durch die siegreiche Schlacht bei Munda* ganz Hispanien unter römische Herrschaft gebracht...

Legionäre, ich bin zufrieden mit euch!

*Montilla.

Vor seiner Rückkehr nach Rom, wo ihn ein Triumphzug erwartet, ehrt Cäsar seine alte Garde: die glorreiche X. Legion...

Diese charmante Geste erstaunt einige Iberer, die die Szene beobachten...

Ay, Mann! Was macht er da?

Ich glaube, er gewährt ihm ein Ohr, weil er sich so wacker geschlagen hat!

Und da die Iberer einer stolzen und edlen Rasse angehören, sind sie stets bereit, mutige Krieger zu bewundern...

OLÉ !

Sieh da! Meine Lorbeeren, ganz zerdrückt. Ich muss mich darauf versehentlich ausgeruht haben.

Ave, Cäsar!

Ave, ave, mein lieber General. Nun, veni, vidi, vici* wieder einmal, wie? Beim Jupiter!

Noch nicht vici, leider noch nicht vici!

Da ist noch ein kleines Dorf in der Nähe von Munda. Die Leute dort wollen sich um keinen Preis geschlagen geben und hören nicht auf...

...mit allen Kräften Widerstand zu leisten. Ich weiß, ich hab das irgendwo schon einmal erlebt.

Ich werde die Angelegenheit persönlich in die Hand nehmen. Ich brauche Frieden in den Provinzen. Führ mich hin, General!

Kurz darauf...

Den Einheimischen scheinen unsere Kämpfe doch recht gleichgültig zu sein.

Sie haben eben erst abgewartet, wer gewinnt, um zu wissen, gegen wen sie Widerstand leisten sollen.

HALT, RÖMER!

*Lat.: Ich kam, sah, siegte!

6

Keinen Schritt weiter!

Ei, wer ist denn mein kleiner, Furcht erregender Gegner?

Ich bin der Sohn von Costa y Bravo, dem Häuptling von dem Dorf da unten!

Ergreift ihn!

ZACK!

AUA!

UiiiH!

ZACK!

AU!

Seine Schleuder! Nehmt ihm doch seine Schleuder weg!

3 A

Vorwärts! Los!

ALIAAA! ER HAT MICH INS OHR GEKNIFFEN!

In dem Kleinen steckt tatsächlich etwas von einem Häuptling!

Das ist das Dorf, o Cäsar!

Ave!

OLÉ!

Cäsar wünscht den Häuptling dieses Dorfes zu sprechen!

Sprich! Costa y Bravo hört dich!

3 B

7

Nun, du willst uns also Widerstand leisten?

Richtig! Solange wir da sind, werdet ihr keine ruhige Minute mehr haben!

OLÉ !

Das wirst du schön bleiben lassen, denn wir haben deinen Sohn als Geisel. Solange ihr euch ruhig verhaltet, geschieht ihm nichts. Wenn nicht...

UIIIH!

Wenn ich dich zu fassen kriege, Römer, lass ich dich in Olivenöl braten!

Wenn wir dir deinen Sohn zurückgeben, Hispanier, wird er ein halber Römer sein!

Und wenn du ihn nicht ganz verlieren willst, solltest du dich gut aufführen. Ave!

Ay, so ein Unglück, Häuptling!

Ja, Mann! Mein einziger Trost ist, dass sie mit dem Kleinen nicht viel zu lachen haben!

Später...

Was machen wir mit der Geisel, o Cäsar? Es wäre gefährlich, den Jungen hier zu behalten.

Hmja! Wir müssen ihn aus Hispanien wegbringen. Es gibt doch in Gallien ein paar Garnisonen, die nichts zu tun haben... Brimborium zum Beispiel.

Ihr meint wohl Babaorum, o Cäsar.

Genau! Schickt ihn noch zur Stunde dorthin. Und behandelt ihn gut, denn die Köpfe der Eskorte haften mir für den seinen.

Idefix und ich wollen Wildschweine jagen gehen. Kommst du mit, Asterix?

Ich komme, Obelix!

Die sind so ruhig, die Römer!

Ach, weißt du, sie haben so viel Hiebe eingesteckt, dass sie genug haben.

Du hast Recht. Die hier sind erledigt. Meinst du, wir könnten Julius Cäsar schreiben, er soll uns frische schicken?

Inzwischen, nicht weit davon entfernt...

Nein, nein und nochmals nein! Mit deinen Launen hast du uns schon die ganze Reise verdorben. Du hast uns geärgert, gebissen und geplagt...

5A

Und jetzt, wo wir das Lager von Babaorum fast erreicht haben, willst du anhalten und spielen. Nein!

Vergiss nicht, o Claudius Bockschus: Du haftest mit deinem Kopf für meinen, wenn mir etwas passiert!

Ja und?...

...Und? Ich halt jetzt die Luft an, bis mir etwas passiert.

He! Nicht!

HÖR AUF ! WIR TUN JA ALLES, WAS DU WILLST !

UFF ! Ich atme auf!

5B

Gut, was willst du spielen?

Also, ihr seid die Räuber, die mich fangen wollen, und ich bin der Edelmann, der versucht auszureißen.

Wir spielen wohl immer die schlechte Rolle, wie?

Ihr müsst bis hundert zählen, bevor ihr mich sucht. Sonst gilt's nicht.

I, II, III, IV ...

Was er nur jetzt wieder vorhat? Ein Glück, dass sich bald die Kameraden von Babaorum um ihn kümmern müssen.

Weißt du noch, wie er mitten im Arvernerland Austern haben wollte?

Und wie er uns in Lugdunum* auf allen vieren kriechen ließ und wir dann der Patrouille begegnet sind?

Also los jetzt! Er darf uns nicht entwischen!

6A

Ich bin noch nicht bei *C*, ich bin erst bei *LXVII*!

KOMM SCHON, DU IDIOT!

Aber dann gilt's doch nicht!

!?

BONG!

Das ist aber kein Wildschwein!

Noch nicht einmal ein Frischling!

6B

*Lyon.

10

11

Die Schlacht war nur von kurzer Dauer. Ein gekonntes Rückzugsmanöver brachte die Legionäre schnell wieder in wohl vorbereitete Stellungen...

Einige jedoch hatten keine Zeit mehr, am Manöver teilzunehmen...

Was war denn das?

Das war ein Wort zu viel!

Währenddessen...

Die Römer hängen wirklich sehr an dem Kind. Ich wüsste gern den Grund dafür.

Du willst also auch gern wissen, warum wir kämpfen, was, Chef?

Nun, Kleiner, erzähl uns mal, was dich aus Hispanien nach Gallien geführt hat.

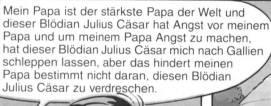

Mein Papa ist der stärkste Papa der Welt und dieser Blödian Julius Cäsar hat Angst vor meinem Papa und um meinem Papa Angst zu machen, hat dieser Blödian Julius Cäsar mich nach Gallien schleppen lassen, aber das hindert meinen Papa bestimmt nicht daran, diesen Blödian Julius Cäsar zu verdreschen.

OLÉ !

Eine Geisel! Er ist eine Geisel! Wir müssen ihn vor den Römern schützen. Er darf das Dorf nicht verlassen.

Obelix, ich vertrau ihn dir an! Und vergiss nicht, das Kind ist tabu!

Tabu? Er heißt doch Pepe!

Wie heißt du mit Vornamen, Häuptlingssohn?

Perikles. Wir haben griechische Vorfahren. Zu Hause nennen sie mich Pepe.

Im Grunde ist ja alles in Ordnung!

Beati pauperes spiritu*, ich kenn mich da aus!

Ob wir oder die Gallier die Geisel bewachen, ist doch egal. Wir müssen nur aufpassen, dass sie den Jungen nicht von hier wegbringen.

Das ist wahr! Ich lass sofort rings ums Dorf Späher aufstellen!

Gut so!

Und das Schönste dabei ist, dass jetzt die Gallier mit dem kleinen Ungeheuer auskommen müssen! Die werden sich vergucken!

Tatsächlich...

Ich mag diese Schweinerei nicht!

Seit wann ist Wildschwein eine Schweinerei?

Wie dem auch sei, es gibt nichts anderes!

Na gut, dann halt ich die Luft an, bis es etwas anderes gibt!

?

Frischling? Bache? Schinken? Blutwurst? Presskopf? Fisch?

Fisch hätt ich gern!

Obelix, geh Fisch kaufen!

Aber dann wird doch mein Wildschwein kalt...

Schon gut, ich geh ja!

*Lat.: Selig sind die geistig Armen.

Wem gehört dieser Fisch, den ich ins Gesicht gekriegt hab?

?

Dem da! Er hat ihn mir geliehen!

Das ist doch...!!

KLATSCH!

PATSCH! PATSCH! PATSCH!

DANEBEN! ÄTSCH, DANEBEN!

ÄTSCH, DA...

ICH WERD DICH LEHREN, LEUTEN FISCHE AN DEN KOPF ZU WERFEN!

KLATSCH!

?

BONG!

WAS MISCHST DU DICH DA EIN?!

He, Leute! Eine Schlägerei!

Los, hin! Zur Abwechslung prügeln wir uns mal untereinander!

ZACK!

OLÉ!

WAU!

18

Am nächsten Morgen...

Wo liegt denn dein Dorf, Pepe?

Ich weiß nicht, wo es liegt. Aber es ist das schönste Dorf auf der Welt und mein Haus ist das schönste im ganzen Dorf und Ihr habt wirklich eine große Nase!

Diese Beschreibung ist mir zu ungenau...

Wenn er zu klein ist, uns zu sagen, wo er wohnt, wie sollen wir ihn dann nach Hause bringen?

Die Römer wissen doch, wo er wohnt. Wir brauchen sie nur zu fragen.

Gute Idee! Wir müssen nicht einmal weit gehen; sie haben rings um unser Dorf Späher eingesetzt.

Kurz darauf...

Wir müssen dicht belaubte Bäume mit guter Aussicht auf das Dorf suchen. Da schütteln wir die meisten.

Versuchen wir's mal mit dem da!

Oh! Das ist aber ein dicker!

ZACK!

BUMM!

Wo liegt das Dorf der Geisel?

Etwas südlich von Hispalis*. Kann ich jetzt weiterspähen?

*Sevilla.

He! Asterix!

Hier sind zwar mehr, aber nicht so schöne! Sollen wir's noch woanders versuchen?

PLATSCH!

Nein, Obelix! Ich hab erfahren, was ich wollte. Komm!

Hepp!

ZACK!

KRACKS!

BUMM!

Dich bringt man aber leicht zu Fall!

Ich bin auch ziemlich angeschlagen durch die Erfahrungen in letzter Zeit!

Es ist sonnenklar, dass die Gallier jetzt versuchen werden, die Geisel nach Hause zu bringen.

Und durch eine Indiskretion unsererseits wissen sie auch, wo sie wohnt.

Also, dann ist es wohl besser, wir sagen unserem Chef nichts davon!

In Ordnung! Gehen wir weiterspähen!

Wir sind doch nicht auf den Kopf gefallen, oder?

Und während in Babaorum alle zufrieden sind...

Ich kehre bald in meine Garnison nach Hispanien zurück; meine Anwesenheit ist hier nicht mehr vonnöten. Die Gallier fühlen sich beobachtet. Die rühren sich nicht.

Auf meine Leute kannst du dich verlassen. Die haben schon manchen Sturm überstanden.

...ist Cäsars Triumphzug in Rom ein echter Erfolg. Selbst ein rothaariger Barbarenhäuptling, der bei dem großartigen Schauspiel mitwirken darf, kann seine Begeisterung nicht zurückhalten.

Kolossal!

PATSCH! PATSCH! PATSCH!

Und vor der jubelnden Menge lässt Cäsar anhalten und wendet sich dem gefangenen Barbarenhäuptling zu.

Was zeigt uns Cäsar da?

Dass ihm dicke Männer sympathisch sind!

Mach dich fertig, Pepe! Wir bringen dich nach Hause!

Kommt Idefix auch mit?

Nein! Er ist zu klein für eine solche Reise!

Ah! Endlich wirst du vernünftig, Obelix!

Ist doch wahr! Sie sehen immer zu mir her und lachen sich kaputt!

Kurz darauf...

Hier ist deine Flasche mit dem Zaubertrank, Asterix!

Danke, o Miraculix, unser Druide!

Und ich hab kein Recht darauf, bloß weil ich...

Grüß deinen Vater schön, Pepe, und sag ihm, ich wünsche ihm Erfolg bei seinem Kampf gegen die Römer.

Mann! Ihr habt wirklich eine große Nase!

20A

Ich glaube, das ist der richtige Augenblick, um euch ein kleines...

PFLATSCH

Schmatz! Ich bereu's nicht, dass ich dich geliehen habe!

Guten Wind und viel Glück, meine Kinder!

WUFF!

PST, Mann!

20B

Oh! Sieh nur, Asterix! Er hat Idefix mitgenommen. Wir müssen umkehren!

Kommt nicht in Frage, Obelix! Der Wind steht günstig. Das müssen wir ausnützen!

Siehst du? Sie fangen schon wieder an!

PRRRUST!

HARF! HARF! HARF!

Wenige Minuten später...

Was gibt's denn hier zu essen, Verleihnix?

Fisch, Obelix! Wir fangen ihn je nach Bedarf.

Ich finde, in letzter Zeit ist sehr viel von Fisch die Rede.

31 A

Ich will Wildschwein!

Du isst, was es gibt!!!

Oh! Ein Schiff!

Könnt man da nicht nach Lebensmitteln fragen?

Obelix, sei nicht so dickköpfig!

Wenn wir's nicht tun, halt ich die Luft an, Mann!

!?!

Na gut, meinetwegen!... Ihr habt ja Recht: Wir hätten wirklich Lebensmittel mitnehmen sollen. Steuer sie an, Verleihnix!

Ich seh nu' einen Fischkutte'! Auße' Fischen ist da nichts zu holen!

Siehst du kein Schiff, das wir kapern könnten?

Pah! Das lohnt sich nicht; wir haben uns gerade mit Proviant eingedeckt. Unsere Laderäume sind bis obenhin voll mit gepökeltem Wildschwein!

DE' KUTTE' HAT DEN KU'S GEWECHSELT UND STEUE'T DI'EKT AUF UNS ZU!!!

31 B

WAAAAS ? ER STEUERT AUF UNS ZU ?!!

Wir wollten fragen, ob es wohl möglich wäre...

DAS SIND DOCH DIE PIRATEN !

DiE GALLIER !!!

GLUCK! GLUCK! GLUCK! GLUCK! GLUCK! GLUCK! GLUCK!

Also, Obelix, wir wollen nur Lebensmittel holen. Es darf nichts kaputtgemacht werden.

Ich weiß doch, was sich gehört!

Es ist grad so, als gingen wir einkaufen.

22A

Das nenn ich Fortschritt: Märkte mit Selbstbedienung! Man spart sich die ermüdenden Diskussionen mit den Händlern!

Kurz darauf...

UND DEN ERSTEN, DER MECKERT, DEN 'NEHM ICH ALS KÖDER !!!

Wie einen 'egenwu'm!

22B

Die weitere Reise verläuft angenehm...

...und schließlich...

Die Straße muss dort drüben hinter den Dünen sein. Von da aus kommt ihr leicht nach Hispanien rüber.

Danke, Verleihnix! Und gute Heimfahrt!

Viel Glück!

Oh!

He! Hallo! Einordnen, ihr da! Die Zweirädrigen glauben, sie können sich alles erlauben!

Was macht ihr hier?

Beim Teutates! Ihr seid wohl mit dem Schiff gefahren, was? Wir wollen nach Hispanien!

Und warum?

Urlaub machen! Der Sesterzenkurs steht gut, außerdem scheint da immer die Sonne... Natürlich ist es teurer als im letzten Jahr. Inzwischen verstehen sie ihr Geschäft!

Von Jahr zu Jahr werden die Iberer unverschämter!

TOCK! TOCK! TOCK!

Aber worauf wartet ihr denn hier?

Die Grenze wird von römischen Legionären bewacht. Die halten alles auf!

Römische Legionäre? Sagt, könntet ihr uns nicht in eurem fahrenden Haus mitnehmen und...

!

WAAAS? ICH HAB SCHLANGE GESTANDEN UND IHR TUT GEFÄLLIGST DASSELBE! WIR FAHREN SCHON SEIT BURDIGALA* IN DIESEM TEMPO!

He! Seht Ihr nicht, dass es weitergeht?!

Na, na! Dieses Land hier habt Ihr noch nicht besetzt!

Kommt!

Bestimmt wissen die Legionäre, dass wir kommen... Wir müssen heimlich über die Grenze!

BERG-GAST-HOF

Da kriegen wir vielleicht einen Tipp.

Und sicher auch was zu essen!

Guten Tag! Gibt's noch einen anderen Weg nach Hispanien außer der Landstraße?

Einen Weg, der nicht von Legionären bewacht wird, was?

Das mach ich schon... Was wollt ihr inzwischen essen? Ziege? Schinken? Bär? Baskisches Huhn?

Fisch!

!

Kurz darauf...

Ich hab den richtigen Mann für euch. Der riecht die Gefahr schon von weitem. Mit dem kommt ihr sicher nach Hispanien.

Ich wusste nicht, dass Gefahr riecht!

'Bordeaux.

28

Das ist euer Mann!

Fünf Sesterze pro Person!

Einverstanden! Wir brechen sofort auf.

Dann für jeden zehn! Das ist der Tagestarif. Bei Tag ist's gefährlicher: Da sind Patrouillen im Gebirge.

Kurz darauf...

Keinen Muckser!

Eine Patrouille! Fünf Mann!

25·A

Versteckt euch! Schnell!

GRRRR!

IDEFIX!

Oh! Ein kleiner Hund!

LASST IHN LOS!

WEHE, IHR FASST IHN AN!

Entschuldigt mich! Ich bin gleich wieder da!

25·B

29

AU! uiiiH! HILFE!

ZACK!

BOING!

Ist schon da!

Du bist ganz schön ungezogen, du!

Seit wann ist es ungezogen, Römer zu beißen?

Siehst du jetzt seinen schlechten Einfluss? Siehst du's jetzt?

Hört endlich auf mit eurer Streiterei! Los, weg hier!

Wir müssen uns beeilen, Hispanier! Sonst bekommen wir Schwierigkeiten mit den Römern!

WARTET! SO WARTET DOCH AUF MICH!

Später, auf dem Gipfel des Berges...

Na, siehst du? Wir warten ja auf dich!

Ja, nur... ächz... keuch... ihr habt nicht den üblichen Weg genommen. Hier kenn ich mich nicht mehr aus!

Aber ihr seid ja schon in Hispanien. Ihr braucht nur noch geradeaus runterzuklettern, dann kommt Ihr nach Pompaelo*.

Hier ist dein Geld!

*Pamplona.

Ihr schuldet mir nichts! Ich hab beschlossen, mich zur Ruhe zu setzen. Von diesem Tag kann ich meinen Enkelkindern genug erzählen an langen Winterabenden.

Na, Pepe? Da sind wir... in deinem Land! Zufrieden?

Ay, Freund! Hier schmecken sogar die Römer anders! OLÉ!

Es wird dunkel. Vor morgen sind wir nicht in Pompaelo. Kommt, wir kampieren dort am Fluss!

Gute Nacht!

GUTE NACHRRRR...

Am nächsten Morgen...

WENN DU NICHT SOFORT WASSER HOLEN GEHST, ZIEH ICH DIR DIE OHREN LANG! BEIM TEUTATES!

!?!

BSBB

Aufwachen!

Ich weiß zwar nicht, wie, aber die Stadt ist zu uns gekommen.

Da sind ja die Anhalter von gestern! Wie schön, im Ausland Landsleute zu treffen.

Warum fahrt ihr denn bis hierher mit euren Häusern?

Um mal was anderes zu sehen.

Ihr frühstückt mit uns! Wir haben Wildschwein von zu Hause mitgebracht. Man weiß ja nie! Die hier können halt kein Wildschwein zubereiten.

31

Wir müssen weiter! Wiedersehn und vielen Dank!

Später...

Ist das heiß!

Ich bin müde, Asterix!

Ich frag mal die zwei da, ob's noch weit ist bis zur Stadt.

Nein, nicht mehr weit. Immer geradeaus, links an den Windmühlen vorbei.

WINDMÜHLEN? ZUM ANGRIFF!

He! Mann! Geht das schon wieder los? Wartet auf mich!

?

Da unten liegt Pompaelo... Ist das ein Gedränge!

Es muss ein Festtag sein!

Es ist tatsächlich ein Festtag und die Bevölkerung sieht jubelnd der Druidenprozession zu...

Wir essen hier zu Mittag und dann geht's weiter. Und dass mir niemand ohne meine Erlaubnis einen Römer beißt!

Hier sind wir richtig!

So, da bist du also endlich wieder bei uns, Bockschus!

Hat alles geklappt in Gallien?

Tadellos! Die Geisel ist in Babaorum in sicherem Gewahrsam. Ihr wisst ja, wenn man mir einen Auftrag gibt....

Wenn das so ist, dann halt ich die Luft an!

Gut! Gut! Gut! Du sollst ein bisschen Kräuterwein haben. Aber beklag dich ja nicht, wenn es dir schlecht wird!

Jajaja! Es ist schon eine Strafe, mit Kindern zu reisen!

Die Geisel! Die Geisel ist hier!

Man könnte meinen, du hättest ein Gespenst gesehen.

Nein, nein... das ist nur die spanische Küche... ich bin sie nicht mehr gewohnt...

Wo kann man hier ein Fahrzeug mieten, Herr Wirt?

Bei Rento y Caron. Dritte Straße rechts.

*Sevilla.

Nach mehreren Stunden Fahrt...

Das sind Nomaden! Sie sind sehr nett und komisch und singen und tanzen die ganze Zeit.

Na gut! Wir machen hier Halt und fragen sie, ob sie uns für die Nacht aufnehmen.

Salut, Freunde! Macht's euch am Feuer bequem. Lasst uns feiern! Lasst uns fröhlich sein!

AY AY AY AY AY AY MAMA, ICH BIN SO UNGLÜCKLICH! MAMAAAAA! AY AY AYAY!

KLAPPER KLAPP

OLÉ!

OLÉ!

OLÉ!

Das Fest geht weiter! Jetzt wird getanzt!

KLAPPER KLAPPKLAPP

OLÉ!

KLAPP

OLÉ!

KLAPPER KLAPP KLAPP KLAPP

OLÉ!

TAPP! TAPP! TAPP!

KLAPPERKLAPP

OLÉ! OLÉ!

KLAPP KLAPP

OLÉ!

OLÉ! Schöner Knabe! OLÉ! Los, mehr Schwung!

KLAPPER

Ich hab doch immer Schwung!

KLAPPER

Wir gehen jetzt schlafen! Wir sind müde und haben noch einen langen Weg vor uns.

Normalerweise singen und tanzen wir die ganze Nacht, aber wir werden euch schlafen lassen.

Gute Nacht, schöner Knabe!

OLÉ... BSSSS!

BSSSS!

Bssss!

Kurz darauf...

Jetzt oder nie! Ich schnapp mir die Geisel und verschwinde!

BSSSSSS

HUUUUUUUU

32A

OLÉ!

OLÉ!

OLÉ!

OLÉ!

OLÉ!

OLÉ!

?

.OLÉ!

OLÉ!

OLÉ!

OLÉ!

OLÉ!

AY AAA AY AAAAAAY AY AY Y Y Y YY... SCHÖÖÖN IST DIE LIIIIIIEBE!

32B

KLAPPER KLAPPER KLAPPER KLAPPER KLAPPER KLAPPER KLAPPER KLAPP

OLÉ!

OLÉ!

OLÉ!

OLÉ!

OLÉ!

OLÉ!

OLÉ!

OLÉ!

Am nächsten Morgen setzen unsere Freunde die Reise fort...

Nur gut, dass wir vernünftiger sind als die beiden Wunderknaben, was, Idefix?

WAU!

CHRRRRRRRRRR!

BSSSSSSSSSS

HEEEEE!

OLÉ!

TRACKS!

Eieiei! Und kein Reserverad dabei!

Dahinten kommt ein Wagen.

Wir brauchen Hilfe. Könnt Ihr uns bis zur nächsten Werkstatt mitnehmen?

DIE GALLIER!

GRRRR!

Idefix! Genügen dir die Römer nicht mehr? Willst du jetzt auch normale Leute beißen?

Vielleicht ist das ein Römer. Ich hab das Gesicht schon mal wo gesehen!

Mir kommt er auch so bekannt vor!

GRRRR!

Woher kommst du, Freund?

Ich... äh... beim Jup... von nirgendwoher. Ich bin Nomade. Ein lustiger Nomade, Mann!

OLÉ! OLÉ! AYAYAYAYAY! MAAAAAMA! OLÉ!

KLAPPER KLAPPER

Ist das gut?

Es geht! Aber seine Knie klappern sehr schön im Takt!

Es wird schwierig sein, ein Rad für euren Wagen aufzutreiben... Ich fahre nach Hispalis. Wenn das auf eurem Wege liegt, nehm ich euch mit.

Es liegt auf unserem Weg und wir nehmen das Angebot gern an.

Ich bin geliefert, wenn es mir nicht gelingt, sie abzulenken und die kleine Geisel zu schnappen!

Auf der langen und interessanten Reise kommt unser kleiner Trupp durch das festliche Cauca*...

*Coca.

...durch Segovia*...

*Segovia.

...durch Helmantica*...

*Salamanca.

...und durch Corduba*. Aber Bockschus hat kein Glück, denn Asterix, Obelix und Idefix lassen den kleinen Pepe keine Sekunde aus den Augen...

*Cordoba.

Morgen sind wir in Hispalis. Das ist meine letzte Chance. Sonst wird Pepe seinem Vater zurückgebracht und meine militärische Laufbahn endet im Sand der Arena.

HALT!

?!?

Auf einen Augenblick, edle Freunde! Ihr werdet uns jetzt all eure Schätze geben. Wir sind die Räuber der Landstraße, auch wir profitieren vom Fremdenverkehr!

Geht's los?

Ich will auch mit!

Nein, ich geh allein!

Wie wär's, wenn ihr beide gingt? Ich pass auf Pepe auf!

He, Leute! Wir sind hier nicht im Urlaub! Wir haben nicht so viel Zeit!

Obelix! Du bleibst bei Pepe! Pepe! Hol gefälligst Luft! Und ich trink noch einen Schluck Zaubertrank und dann los!

TAPP! TAPP! TAPP

36A

GLUCK! GLUCK! GLUCK! GLUCK!

?

Gib's mir!

Da hast du's!

VORWÄRTS, MÄNNER!

ZACK!

OLÉ!

OLÉ!

Nach kurzem, ungleichem Kampf....

Die sind aber gut genährt, die Touristen in diesem Jahr!

Ja, es scheint unsere Küche ist viel besser geworden.

Der Zaubertrank, der übermenschliche Kräfte verleiht! Das ist meine letzte Chance!

3CB

40

Als unsere Freunde im schönen Hispalis, der Hauptstadt von Vandalusia*, eintreffen, ist es schon dunkel. Aber in der Stadt ist noch alles auf den Beinen, denn es ist ein Festtag!

Ihr habt Glück; ich hab grad noch zwei Zimmer frei. Und sogar nebeneinander!

Ich schlaf im Zimmer von Idefix!

Ich auch!

Na gut, dann teilen wir uns das andere!

Ausgezeichnet! Beim Jup... beim Olé!

Beim Abendessen in der typisch andalusischen Herberge geht's sehr lustig zu...

Die Straßen werden besser, sie tun was.

Ein stolzes und hochmütiges Volk!

Und empfindlich!

Die Preise gehen noch, aber sie ziehen schon an.

Na ja, sie ziehen halt nach!

Aber in der Küche machen sie Fortschritte!

Tagesmenü: Würstchen, Kraut und Speck. Dazu Cervisia.

Gehn wir schlafen... Morgen früh trennen sich unsere Wege, mein lieber Roma y Riverderci!

Arrivederci y Roma!

Gute Nacht.

Gute Nacht.

Ich hol mir jetzt den Zaubertrank. Dann bin ich der Stärkste und kann mir Pepe schnappen und ihn nach Galllien zurückbringen!

*Das heutige Andalusien.

Kurz darauf im Büro des Standortkommandanten von Hispalis...

Nun, Bockschus? Du solltest auf eine Geisel aufpassen und ich sehe dich hier in Zivil und in einen Skandal verwickelt. Ich nehme an, die Geisel ist in Gallien in Sicherheit, hm?

Der da und seine Komplizen haben die Geisel entführt. Beeilt euch! Der Junge schläft mit einem dicken Gallier in der Herberge „Klein Vandalusien".

Ich wünsch dir, dass du Recht hast! Man hole die Geisel und werfe die beiden da in den Kerker!

Was ist das für eine Flasche?

Ich glaube, o General, das ist der geheimnisvolle Zaubertrank, den ein kleiner Barbarenstamm in Gallien besitzt.

Er soll angeblich Riesenkräfte verleihen!

Probieren wir's!

GLUCK! GLUCK! GLUCK! GLUCK! GLUCK!

Tritt näher, mein guter Asparagus!

Dieser Fang verhilft Asparagus bestimmt zur Beförderung!

ZACK!!

?

Nochmals bravo, Asparagus! Du hast dich um die Armee verdient gemacht!

Danke fehr, o General!

?

?

43

Ich hab dir vom ersten Tag an misstraut. Deswegen haben wir in unserer Wachsamkeit nie nachgelassen...

Pah, Obelix und Pepe werden gefasst. Euch werfen sie den Löwen zum Fraß vor und mich begnadigen sie!

RASSEL! QUIETSCH!

Ich hab schlechte Nachrichten für dich, Bockschus: Der dicke Gallier und die Geisel haben die Herberge verlassen und sind unauffindbar.

Braver Obelix!

Uns bleibt nichts anderes übrig, als das Dorf der Geisel zu belagern. Durch deine Dummheit ist der römische Friede in Hispanien gebrochen!

Doch alles hat sein Gutes... Ich such eine große Nummer zum Abschluss der Festtage von Hispalis. Das Volk braucht panem et circenses*, damit es zufrieden ist!

In puncto panem ist's besser geworden, in puncto circenses werdet ihr ein einmaliges Schauspiel bieten. Ave!

Nur Mut, Römer! Noch leben wir!

Aber nicht mehr lang und du hast auch keinen Zaubertrank mehr!

Die Ankündigung, dass ein Verräter und ein Geächteter den wilden Tieren vorgeworfen werden sollen, begeistert Einheimische wie Touristen und bald gibt es Arenakarten nur noch bei den Herbergsbesitzern... zu Wucherpreisen...

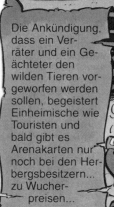

So ein grausames und feiges Schauspiel!

Aber nein! Der Mann hat doch eine Chance! Außerdem ist es ein ehrenvoller Tod für einen Kämpfer. Ihn zu bemitleiden wäre reine Gefühlsduselei. Und da gibt's Musik, Stimmung, farbenfrohes Gepränge...

In der Tat! Um fünf Uhr nachmittags ist die Arena von Hispalis voller Musik, Stimmung und Farbenpracht...

TRARITRARA!

TRARA!

*Brot und Spiele.

Schick einen neuen Auerochs, Römer! Der hier ist fertig!

Nein! Ich verlange, dass dieser mutige und galante Mann begnadigt wird!

Gewährt! Ich werde doch der Halbschwester von Cäsars angeheirateter Kusine nichts abschlagen!

OLÉÉÉ!

Begnadigt auch diesen Mann hier!

Gut! Aber er wird aus der Armee ausgestoßen.

Ich mach Karriere in der Arena! Bockschus ist tot, es lebe El Hispanies, der Auerochsero!

OLÉÉÉÉ!

Und nicht Auerochsador, wie oft fälschlicherweise gesagt wird.

Auf Grund der Beschreibung des dankbaren Bockschus erreicht Asterix Pepes Dorf, das von den Römern belagert wird.

OBELIX!

ASTERIX! ICH KOMME!

ACHTUNG! FIE MACHEN EINEN AUFFALL!

ASTERIX! ICH HAB MIR SOLCHE SORGEN GEMACHT!

Komm! Wir gehen zurück ins Dorf! Sie warten schon alle auf dich!

ACHTUNG! FIE KEHREN FURÜCK!

So ist es...

Gut, Legionäre! Wir wechfeln die Ftrategie! Wir errichten befeftigte Lager ringf um daf Dorf und bewachen fie, ohne einen Fufammenftof fu provofieren, beim Jupiter!

Ich hab dich gestern gesehen, als du die Herberge verlassen hast; ich ging für Pepe Fisch holen. Aber ich hab dich aus den Augen verloren; da hab ich gedacht, als Erstes muss ich Pepe in Sicherheit bringen. Gott sei Dank kannte er den Weg zu seinem Dorf.

Ay! Wie soll ich euch danken, Freunde?

Gern geschehen, Häuptling Costa y Bravo! Aber jetzt müssen wir wieder nach Hause zurück.

Ich will nicht, dass sie fortgehen!

Und ihr habt euch so gut um ihn gekümmert! Er sieht prächtig aus!

Auf Wiedersehen, Pepe! Wir kommen wieder, bestimmt!

Du wirst genügend Römer zum Amüsieren haben. Das versprech ich dir, Mann!

SCHNÜFF!

SCHNÜFF!

Und nach einer langen und ruhigen Reise kommen unsere Freunde wieder in das kleine gallische Dorf, wo sie wie immer mit Triumph empfangen werden. Und wo einmal... ein einziges Mal Troubadix, der Barde, zufrieden ist...

AYAYAYAY, MAMMAAA, ich BIN SO UNGLÜCKLICH AYAYAYAAAYYY!!!

Einen Fisch! Ein Königreich für einen Fisch!

KLACK KLACK

KLACK! KLACK

GRMPFFFFFHIHI!

ENDE
DER GESCHICHTE